A mis hijos
por tanto sol

A los maestros magos
que saben convertir
la niebla
en alegría

El cuaderno de Pancha

Monique Zepeda

ediciones  sm

Dirección editorial: **Ana Franco**

Ilustración y cubierta: Monique Zepeda
Fotografía de cubierta: Arturo González de Alba
Ilustraciones: Martha Flores

© 2001, Monique Zepeda

Derechos reservados:
© 2001, SM de Ediciones, S. A. de C. V.
   Cóndor 240, Col. Las Águilas, 01710, México, D. F.

Primera edición: México, 2001
Segunda edición: México, 2002

ISBN: 968-7791-76-4 Colección El Barco de Vapor
ISBN: 970-688-112-3 SM de Ediciones, S. A. de C. V.

Impreso en México / *Printed in Mexico*

TENGO ONCE AÑOS, un cuaderno en blanco, no hablo mucho y me han dicho que soy muy complicada. Me regalaron el cuaderno para que escribiera cuáles son esas complicaciones. Primero sentí que no me iba a alcanzar; pero al cabo de un rato de estar dándole vueltas a la pluma en mi boca, de ponérmela detrás de la oreja, de sacarle el repuesto tres veces, pensé que quizás nunca llene el cuaderno.

Lo complicado consiste en varias cosas:

Lloro bastante, no sé como empezar y Peter se fue.

Capítulo menos 1

LA HISTORIA comenzó hace tiempo. Esa es una frase de mi mamá, a la que mi papá contesta "abrevia, abrevia..." Y lo que sigue siempre es una discusión larguísima. Bueno, seguía antes. Después hubo un tiempo en que mi mamá le dejaba notas abreviadas en el refrigerador a mi papá: "fui recoger niños escuela", "comida en refrig.", que poco a poco se fueron haciendo cada vez más abreviadas: "llegaré tarde" se convirtió en "llegr td". "Pagar luz" se transformó en:

"Comida en el refrigerador" se escribía así:

Y después ya no hubo notas. Eso también es complicado, pero no es lo que voy a apuntar en este cuaderno.

PETER
Eso sí quiero escribir. Peter Bright. Así se llama. Brillante, quiere decir. Y lo que se dice brillar en la escuela, Peter era más bien un foco de 40, o quizás un foco roto. Pero hay gente que tiene más luz que una estrella nova. Lo voy a explicar, para eso me dieron este cuaderno.

Fue mi compañero desde primer año. Lo sé porque tengo una foto de grupo, está paradito, ahí en la última fila, porque era muy alto. Después está la foto de segundo año, Peter está parado junto a mí. Alto y con las rodillas del pantalón rotas. Y la foto de tercer año, esa es la peor: Peter se ve altísimo, sucio, como empolvado y el suéter del uniforme le queda chico. De un lado estoy yo, y del otro, la maestra Zu. Se llama Azucena, pero le decíamos Zu.

Me regalaron este cuaderno para que pusiera mi mente en orden, porque toda la historia de Peter, de Zu y lo demás me tiene hecha un lío.

Así que voy a empezar a contar lo mejor que pueda.

Ahora sí, Capítulo Uno

ESTAMOS en tercero. La maestra Zu es bonita. Sonríe tapándose la boca. Nos dijo a todos que íbamos a ser amigos y que íbamos a aprender muchas cosas. Después se volvió al pizarrón, puso la fecha y en la esquina del pizarrón dibujó una florecita. Le quedó preciosa, parecía una rosa verdadera.

Después nos pidió que dijéramos nuestro nombre para irnos conociendo y que habláramos de nuestro juego preferido. Y ahí se oyó a Paulina, que siempre quiere ser la primera, que tiene la voz de pito, pero la hace peor cuando habla con un profesor.

—A mí me gusta estudiar, maestra —dijo inclinando su cabeza de ladito.

—Gracias —dijo Zu—. Estoy segura que debe de haber también juegos que te gusten.

—A mí me gusta el fut —dijo el gordo B. con su voz potente—. ¡Ah!, y me llamo Basileo.

Se oyeron risas. Eso de las risas por los nombres es un tema que... que comentaré más adelante.

—Me llamo Liliana y me gusta trepar a los árboles.

—Soy Tere y a mí me gustan las muñecas.

—A mí también, maestra —interrumpió Paulina.

—Me llamo Miguel y me gusta patinar.

Ya se estaba acercando al pupitre que compartíamos Peter y yo.

—Me llamo Pancha —dije y se oyeron dos risitas, la de Paulina y otra que no supe reconocer.

—Me llamo Francisca —corregí con los cachetes calientes— y también me gusta trepar a los árboles.

—Copiona —me susurró la niña de

atrás que ahora no me acuerdo cómo se llamaba.

Y le tocó a Peter. Se puso de pie. Él siempre hacía eso cuando tenía que dar una respuesta. Creo que se lo enseñaron en las escuelas de otro país de donde él vino. Peter se puso de pie y abrió la boca. No salió ningún sonido.

—¿Cómo te llamas? —repitió la maestra.

Peter volvió a abrir la boca, completamente rojo. Los ojos le brillaban, como si fueran de vidrio. Como yo tengo algo de experiencia, sé que estaba deteniendo como podía las lágrimas.

—Pe-pe-ter.

Explosión de risas y repetición en eco. Pipíter, Pipíter, se escuchaba de banca en banca.

La maestra Zu levantó una mano como si fuera policía de tránsito. Las risas se detuvieron.

Zu se acercó a nuestra mesa y lo miró a los ojos.

—No te preocupes, Peter, ya me dirás después a qué te gusta jugar.

Yo me fijé en que ella tenía los ojos como una tarde de lluvia, o sea, grises. Como esto lo escribo después de que ha pasado todo, me puedo dar unos lujos poéticos. Cursiladas, diría mi papá.

Los demás continuaron diciendo sus nombres. Yo me fijé en que me dolía el corazón y que tenía los puños apretados. Peter había puesto sus manos sobre el pupitre y las levantó dejando una huella húmeda. Me quedé rumiando. Peter debía estar odiando su nombre tanto como yo.

Desde hace un tiempo llegaba yo a mi casa de mal humor:

—Mamá, ¿por qué me pusiste Francisca?

—Por tus padrinos, hija, ya te lo he dicho.

Por mis padrinos, pensaba yo; por ellos siempre hay alguien que se ríe de mí. No sé por qué pero a algunas personas Pancha les suena gracioso; parece que solamente estuvieran acostumbrados a Pancho. A otros les parece un nombre poco elegante, poco femenino, como si uno pudiera ponerse moños hasta en el nombre.

Al principio, no comprendía qué pasaba y miraba a mi alrededor buscando lo chistoso. Con el tiempo, fui aprendiendo a apretar los puños y a cerrar los ojos cuando decía mi nombre. Después, aprendí a decir "Pancha" como si dijera una cosa muy valiente. Pero el día que pasó lo de Pipíter sentí que en ese pupitre habíamos perdido una batalla.

La clase siguió. Los demás continuaron diciendo sus nombres elegantes mientras Peter y yo, sin ponernos de acuerdo, cruzamos los brazos y yo me puse a mirar las nubes por la ventana, mientras que él seguía mirando las manchas de sudor que dejaron sus manos sobre la mesa.

El gordo Basileo estaba mirándose el ombligo.

Capítulo 2

LOS DÍAS pasaron. Cada mañana, Zu pintaba una florecita en la esquina del pizarrón. Distintas cada vez: una margarita, una dalia, un tulipán, una rosa. Los días que Zu se veía más linda o más contenta, pintaba una rosa. Pasaba detrás de nosotros mirando los cuadernos, y siempre decía algo lindo.

—Te está quedando bien.

—Has mejorado.

—Te voy a ayudar con la ortografía.

Cuando se alejaba, quedaba flotando un olor como a flores y pasto.

Después de explicar algo, siempre preguntaba:

—¿Alguien necesita ayuda?

Casi siempre el gordo B. levantaba la mano. Peter, nunca. Pero la miraba con ojos brillantes.

Sucedieron cosas importantes. Paulina, siempre tan aplicada, dibujaba también flores en las esquinas de su cuaderno. Tere empezó a enamorarse de Miguel: lo miraba todo el día. Y eso que él estaba detrás de ella.

No supimos bien por qué pero un día, en el recreo, Miguel y el gordo B. se pelearon y se sacaron sangre de la nariz. Se armó tremenda bolota. Las niñas estábamos a favor de Miguel y los niños se pusieron de parte del gordo. Me parece que a Miguel no le encantó tener tanto público. Ni siquiera me recibió bien un pañuelo que le di para que se limpiara la sangre de la nariz. Después del pleito me pidió prestada la goma, varios días seguidos, hasta que me la devolvió con un agujero hecho con un lápiz. Me dio coraje, la rompí por la mitad y conservé los pedazos. Cuando Miguel bajó a recreo, rapidísimo, como caballo desbocado y llegó al patio dispuesto a patear su balón recibió dos gomazos que no supo qué fueron, ni de dónde le cayeron. No se lo conté nunca a Tere.

Un día llegó el inspector a visitar nuestro salón.

—Pónganse de pie, niños —dijo la maestra Zu con sus cachetes medio rosados.

No hacía falta que nos lo dijera. Ya habíamos recibido una visita de ese inspector el año anterior. Nos había hecho sentarnos y pararnos unas diez veces porque no sabíamos hacerlo juntos y sin arrastrar nuestras sillas. Así que como resortes nos pusimos de pie. Casi se podían escuchar los 27 corazones que éramos latiendo al mismo tiempo. 28. Zu se veía bastante asustada también.

El inspector miró a su alrededor, echó una ojeada a los dibujos que teníamos colgados en las paredes, volteó brevemente hacia el pizarrón, miró las piernas de la maestra y esbozó una sonrisa nada más con la mitad de su boca.

—Bien —dijo sin perder tiempo—. Vamos a ver cómo trabajan estos niños.

Señaló a Basileo, que ocupaba la última banca a su izquierda. Esa táctica era habitual: interrogaba a los niños de atrás primero, considerando que ésos eran los peores alumnos. Hizo un movimiento con su cuello, como si le apretara la camisa, se jaló las mangas de la camisa y levantó la ceja. Eso quería decir que el examen había comenzado.

—¿Un sustantivo en masculino plural?

Silencio.

—¿Masssculiiino pluraaalll? —repitió el inspector con mucha importancia en su voz, como si hablara en puras mayúsculas.

—Unos —respondió una voz temblorosa.

—¿Unosss? ¿Eso es un sustantivo? Bien, prosigamos —y señaló con su dedo a otra niña, sin quitar su mirada del pobre Basileo que parecía derretirse en su asiento.

—¿Los? —dijo casi en un suspiro Susana.

—Losss, unosss —repitó tallándose el mentón, mientras entrecerraba los ojos hasta quedarle una rayita.

—Inspector —dijo tímidamente la maestra Zu—, aún no hemos visto los sustantivos, ellos conocen los artículos, y la semana que entra empezaremos...

—Estamos en el mes de octubre, señorita, ya se debieron ver los sustantivos.

—Hoy es 29 de septiembre, inspector —se atrevió a decir Zu, coloradísima.

Al inspector se le abrieron los ojos, levantó una ceja, y miró a Zu como si fuera a dispararle unos canicazos con las bolas de sus ojos. Pupilas se llaman. Jaló los puños de su camisa para que sobresalieran más de las mangas de su saco. Un poco más que las jalara y se iba a quedar sin camisa.

—Bien —carraspeó—. Veamos los cuadernos.

Se acercó a nuestra mesa peligrosamente, pero giró en el último segundo y se inclinó sobre el cuaderno de Tere. Leyó y con un *"Huhmmm"* de plena satisfacción, sacó una pluma del bolsillo interior de su saco, le quitó la tapa, y rodeó con un gran círculo rojo una palabra en el cuaderno de Tere. Después se escucharon los rasgueos de la pluma sobre el papel mientras garabateaba su firma.

—¿Así que la ortografía tampoco es su fuerte, eh, niños? —exclamó girando levemente la cabeza hacia Zu, sin enderezarse.

La pluma fuente goteó. Vimos la gota formarse en la punta de la pluma, como en cámara lenta. Cayó una mancha roja sobre el cuaderno de Tere. Casi pudimos escuchar en el silencio lento el **Pluff** de la gota sobre la página.

Tere, angustiada, pasó la manga de su suéter sobre la mancha y quedó una enorme embarrada roja. El inspector levantó el cuaderno en alto con dos dedos, como si le diera asco; se le veía una vena gorda que resaltaba sobre su frente.

—Habrá que enseñarles también a que trabajen con limpieza. Que repita la hoja.

Se detuvo un momentito y agregó:

—Que repita el cuaderno, y lo quiero ver mañana en la oficina del director.

Tere empezó a lloriquear, pero una mirada del inspector la calló.

—Muéstreme un buen cuaderno, maestra, a ver si tenemos un pequeño éxito en este salón.

Zu, que empezaba a ponerse pálida, se acercó a la mesa de Paulina y tomó su cuaderno. El inspector pasó hoja por hoja, hasta que lanzó una exclamación.

—¡Ja!

Podría jurar que todos pensamos que Paulina nos había salvado de la horrible presencia del inspector. Por primera vez me sentía contenta de que fuera tan *perfecta* con sus cuadernos.

—¡Ja! —volvió a exclamar—. ¿A esto llama un buen cuaderno? Está lleno de florecitas en las esquinas. Parece más bien un cuaderno de botánica.

Y mientras se disponía a tachar con la pluma de sangre cada una de las flores, Zu, de puntitas, se escabulló detrás de él y apresuradamente borró su propia florecita del pizarrón. Podría jurar que nos tragamos 27 suspiros. Zu estaba definitivamente blanca.

Paulina no lloriqueó. Se tumbó sobre su banca con grandes sollozos, y entre llanto y moco, se escuchaba:

—Me van a matar... me van a matar...

El inspector se fue precipitadamente, sin pedirnos que nos pusiéramos de pie.

Capítulo 2, segunda parte

LA PUERTA se cerró. Tere y Paulina redoblaron su llanto. Los demás suspiramos mitad aliviados, mitad preocupados por la cara de la maestra Zu. Estaba pálida, parecía como si no estuviera ahí, como si hubiera quedado sólo la cascarita de su cuerpo, como si se hubiera fugado por la ventana hacia donde miraba. Se hizo un silencio larguísimo. Hasta Paulina se calló.

—... Maestra... —dijo alguien, muy quedito.

Zu se sobresaltó. Volvió su mirada hacia nosotros (más bien sus ojos, porque el resto parecía seguir volando allá afuera).

Alguien movió una silla, otro más tiró

un sacapuntas y eso hizo que Zu regresara completita. O al menos eso me pareció.

—Vamos a hacer una cosa —dijo Zu con una voz que parecía de agua chiquita—. Vamos a trabajar en silencio, resolviendo una página del libro de matemáticas. En completo silencio, niños.

Y miró hacia la puerta del salón. Se acercó despacito y puso el botón del seguro.

—Y mientras ustedes hacen eso, yo me voy a poner a repetir el cuaderno de Tere y ver qué se puede hacer con el de Paulina.

Paulina se levantó y se abrazó a su falda. Zu se agachó, sacó un pañuelo del bolsillo de su delantal y le limpió la cara. Yo también hubiera querido abrazarla. Todos sacamos el libro de matemáticas, buscamos la página que nos dijo Zu, y por un momento todo el mundo tuvo la cabeza metida entre las páginas del libro. Todos menos Peter. Se miraba las manos con las palmas hacia arriba y en el pupitre se observaban dos huellas húmedas.

—Peter —susurré—, el libro de mate...

Peter se talló las manos en el pantalón y volvió a ponerlas sobre el pupitre.

Mientras tanto, Zu hojeaba el cuaderno de Paulina.

—Le pondremos una etiqueta adherible en cada esquina donde había una flor, y ahí pondré una firma mía como si te hubiera revisado el cuaderno.

Paulina pareció satisfecha.

Y dirigiéndose a Tere, Zu dijo:

—Tere, empieza a repetir tu cuaderno en esta libreta nueva. Haremos una página tú y otra yo. Si no terminamos me lo llevaré a casa para hacerlo allá.

Saqué el libro de Peter. Estaba sin forrar y con las orillas dobladas. Todas las cosas de Peter parecían estar en ese estado. La punta de sus lápices siempre estaba chata o rota, y por eso su letra era descuidada. Mientras escribía las respuestas en mi libro, yo iba copiando las mismas respuestas en el libro de Peter. Sentía mi corazón grandote y quería hacer lo mismo que estaba haciendo Zu por las otras niñas. Hubiera querido llevarme el libro a casa para forrarlo, pero seguro que a mi mamá le hubiera parecido un tanto extraño, hubiera hecho preguntas y... mejor dejar el libro como estaba, sólo que con las páginas de ese día contestadas. Ya estaba terminando de copiar la última respuesta cuando, en la esquina del libro de Peter, dibujé una florecita y lo cerré rapidísimo.

Estoy segura de que Peter no la vio; simplemente se hizo a un lado cuando yo devolví el libro a su lugar debajo del pupitre. Volteó a verme; sus ojos últimamente siempre parecen de vidrio.

Sonó la campana del recreo. Quise quedarme con Zu y con Tere, quise ayudarle a Tere porque ya le dolía la mano. Yo escribía mientras Zu me dictaba. Me sentí contentísima, como si hubiera crecido y como si la visita del inspector me

hubiera convertido en alguien buenísimo, cuando sabemos bien que uno es
un poco de todo.

Mi mamá no entendió nada cuando me
preguntó cómo me había ido ese día y
yo le respondí:

—Mal, pero muy bien.

Capítulo 3

LOS RECREOS, para casi todos nosotros, son el mejor momento del día. Para
Peter no. Anda solo y camina por la ori-
lla del patio, pegado a la pared, durante
todo el recreo, comiéndose un plátano.
Tiene todo calculado para que cuando
toque la campana, mientras los demás
corren desaforados a formarse en los
lugares correspondientes en el patio, él
abandona el muro y va al bote de
basura que queda cerca de la escalera.
Ahí tira la cáscara y la servilleta y guar-
da la bolsita de plástico hecha bolas en
su bolsillo. Después se forma al final de
la fila. Y se mira los zapatos. Así todos
los días.

Me he fijado en lo que hace mientras

mis amigas y yo jugamos al resorte. Cuando me toca el turno de sostener el elástico, lo miro. Mi mamá me ha dicho que ser observadora es una buena cosa. Mi papá dice que los detalles no son tan importantes como la imagen total; eso no lo entendemos bien ni mi mamá ni yo. Yo me fijo mucho en los detalles: sé que Tere se peina siempre con dos trenzas y que una siempre le queda mejor que la otra. Sé que Paulina tiene puros calcetines calados, sé que Miguel se pone gel en el pelo para peinárselo, pero que el poder aplacador del gel se acaba como a la una de la tarde. Es más, yo sé que falta una hora para la salida cuando le veo los pelos parados a Miguel. Sé un montón de cosas por el estilo, que no sirven para gran cosa. Pero no puedo evitar observar.

En los recreos nos la pasamos bien, casi todos, ya les dije. Bueno, nosotras las del resorte también hemos tenido nuestro rato medio malo. Hay unas niñas de cuarto que no nos dejan sentarnos en la única banca que tiene sombra. Ellas dicen que la apartaron desde el principio del año. La peor de todas ellas es Lizzi. Tiene el pelo largo y liso, es hermosa pero cuando se ríe muestra sus dientes chuecos y horripilantes. Ella lo sabe y por eso nunca se sonríe; ha perfeccionado un gesto amargo con sus labios, que complementa tronando los dedos cuando quiere que nos quitemos. La odiamos. Más en silencio que en alto. Porque hay que ser más listos que valientes.

Un día, cuando nos querían quitar de la banca y nosotros no nos dejamos, Lizzi, la bruja, se tiró encima del delantal del uniforme el contenido de su botella de agua. Salió corriendo con la prefecta de guardia, fingiendo llanto y exprimiendo compungida su delantal señaló en nuestra dirección; cuando la prefecta empezó a avanzar hacia nosotras, con sus piernas de tanque y sus zapatos furiosos, nosotras salimos corriendo más ligeritas que una pluma. Así fue como se apoderaron de la banca. Ese día, a la salida,

Lizzi me hizo su mueca-sonrisa llena de victoria. Cuando se acercó a su mamá, le escuchamos decir: "Unas envidiosas me tiraron el agua encima." Nuestro triste consuelo fue pintar con gis, delante de la banca, una boca sonriente con dientes de pico. Creo que no se dieron por enteradas.

Las cosas quedaron así durante algún tiempo. Jugábamos en el sol y comíamos en el sol. El colmo fue que un día nos dijeron que nos quitáramos de donde estábamos jugando porque no podían ver bien el patio. Yo sé que estaban viendo a Pablo Ríos, el guapo de la escuela que va en sexto. Pablo y sus amigos estaban jugando en la cancha de basket, y nosotros les estorbábamos la visibilidad. Se creen dueñas, reinas, y no son más que un montón de células con un año más que yo. A veces, el enojo hace que me sepa amargo hasta el dulce más dulce.

Como en este cuaderno yo puedo ordenar las cosas como a mí se me da la gana, voy a contar algo que pasó bastante tiempo después pero que yo pensé que tenía que ver con el enojo y la amargura.

El ritual de las "princesas" de cuarto consistía en comer en su banca; al terminar, dejaban todas sus cosas bien esparcidas sobre la banca, para que nadie más pudiera sentarse. Ellas se ponían a dar vueltas en el patio tomadas del brazo de dos en dos, despacito, como para que las vieran bien. Un día, unos chicos de quinto pusieron todas las bolsas y recipientes en el piso para usar la banca. Las "princesas" se quejaron en la dirección, dijeron que les habían tirado sus cosas a patadas, y los chicos recibieron uno de esos papelitos azules donde se avisa a los papás que la próxima vez tendrán una suspensión.

Al día siguiente, a la mitad del recreo, a la mitad del patio, a la mitad de su paseo ritual, a la mitad de la cara, un balón de basket, veloz y mortífero, atacó a la bella bruja, Lizzi, lengua de sapo, dejándola tumbada en el piso por unos segundos que se alargaron como la hora de gramática.

Cuando se levantó, su delantal estaba manchado de sangre que salía de su nariz; gritó y volvió a caer al piso. Se la llevaron desmayada a la enfermería, mientras su corte de amigas gemía en la puerta, como si el balón también las hubiera lastimado. Por allá quedó rebotando el balón, cada vez más quedito, hasta que rodó, y por alguna misteriosa inclinación del patio, llegó a detenerse en la banca. En la banca de las "princesas". Pronto ex princesas.

Varios nos juntamos a observar de cerca el balón vengador. Ahí estábamos todas las de tercero, los de quinto con cara de no muy preocupados, algunos de cuarto, sus compañeros, entre los cuales quizás cuenta con un admirador o dos, que se veían un poco afligidos. Ahí estábamos cuando se acercó Peter. Me sorprendió tanto que abandonara el muro y se acercara a un grupo, que me distraje de la observación del balón. Peter me miró directo a los ojos. Eso también era rarísimo. Por lo general, Peter miraba el piso o las nubes. Tenía los ojos chispeantes, los cachetes colorados y parecía que quería decirme algo con el brillo de sus ojos, que esta vez no era como de vidrio sino como de cristal finísimo. Quise acercarme y preguntar, pero cuando uno tiene nueve años a veces se tiene más pena que ganas de saber. De todos modos, pasé muy cerquita de él en la formación de la fila y traté de buscar sus ojos. Pero Peter miraba la punta de sus zapatos, como todos los días.

Mientras subía las escaleras hacia el salón, tuve una sensación clara de que el balonazo, mi enojo y los ojos de Peter estaban todos conectados de alguna manera. Pero no podía explicarme cómo.

Ese día, nos bajaron al patio para tomarnos la foto de grupo. Paulina lloró porque no venía peinada como ella quería. Miguel tuvo que mojarse el pelo y el gordo B. tuvo que ponerse el suéter a pleno rayo de sol porque traía la camisa manchada. Me tocó junto a Peter. Nos tuvimos que apretar bastante para poder salir en la foto. Estábamos hombro con hombro y hacíamos lo posible porque nuestras manos no se tocaran. Cuando terminamos, me fijé en que Peter tenía los cachetes muy colorados.

Capítulo 4 o Antecapítulo, porque debería ir antes

CUANDO uno cuenta algo que pasó, a veces hay que regresarse y decir algo más de lo que pasó antes. Más antes. Yo sé que así no se dice; me han corregido muchas veces, pero es que el "más antes" explica bien lo que quiero decir. Lo que llevo contado era antes. Ahora voy a contar algo que pasó antes de antes.

Del segundo año casi no recuerdo nada. Se me borró la cara de la maestra, y también su nombre. En cambio, me acuerdo bien de sus manos y de un anillo de piedrita azul que usaba siempre. Recuerdo algunos dictados porque fueron difíciles, sé que me saqué baja calificación en una prueba de tablas porque estudié como loca la tabla del siete y me preguntaron la del ocho. Recuerdo que a Peter alguien le pisaba invariablemente su bolsa de plástico con el plátano adentro. ¿Sería por accidente o por maldad? Alguna que otra vez le pasaba la mitad de mis galletas por debajo del pupitre sin que nadie se diera cuenta.

Y la otra cosa que recuerdo es el asunto de la jerga.

Cuando alguien sufría un pequeño accidente, que era la forma elegante que tienen los adultos de decir que uno se vomitó o se hizo pis encima, seguía todo un ritual. Les da tanto horror que prefieren decir accidente aunque suene como si nos hubiéramos cortado un dedo, perdido un ojo o quedado prensados en la puerta de un elevador.

El ritual consistía en que, una vez descubierto el accidente, después de que los compañeros lo dijeran, o hicieran toda clase de aspavientos y se taparan las narices, uno tenía que levantarse e ir a buscar una jerga a la oficina del conserje. Sólo que el conserje tenía su ofici-na, una covacha con muchas cubetas, escobas y jergas, lejísimos: había que pasar por todos los salones del segundo piso, que es donde estaba el nuestro, bajar las escaleras, recorrer todo el primer piso y llegar a la covachita. En el primer piso se encontraban los salones de los chiquitos. A veces estaban en recreo y se reían del que pasaba con su cubeta y su trapeador. Deberían haber sido más amables ya que ellos recurrían muchas más veces al asunto de la jerga. Pero los niños son crueles. Esta frase debo haberla escuchado por ahí, pero siento como si la hubiera inventado yo.

Había dos conserjes: uno era un hom-bre amable y triste, más triste que amable, y el otro era un gruñón enojado con su oficina, con los niños que usaban cubetas y jergas y puede que hasta con la vida. Todo esto yo lo sé porque el día en que Tere devolvió el estómago estaba tan pálida, y cada vez que se ponía de pie vomitaba más, que la maestra la dejó inclinada sobre el bote de basura y pidió que alguien ayudara. Yo levanté la mano por dos razones: porque Tere era mi amiga y porque desconocía el trámite de ir a buscar la jerga. Cuando regresaba de la covacha, compungida porque el gruñón me había dado una cubeta de muy mal modo, tuve que soportar las risas de los chiquitos y lo peor: pasar por todos los salones del segundo piso, donde alguno de los grandes, de esos donde a veces cambia el maestro cada hora, se asomaba por la puerta con los dedos tapándose la nariz y haciendo cara de asco, mientras se escuchaban comentarios asombrosos.

—Se venden pañales —gritó uno.

—Helados meados, tortas de..., lleve, lleve sus aguas freeescas... —gritaba otro imitando a un vendedor de golosinas. Grandes risotadas.

Los grandes podían ser más crueles que los chiquitos del primer piso. Aprendí a detectar si los grandes estaban en un cambio de materia. Esos minutos cuando estaban sin maestro podían ser muy peligrosos.

Después de limpiar el accidente había que volver a hacer todo el camino de vuelta. El día de Tere, yo ya no quería regresar con la cubeta a la covacha pero la maestra no me dio a elegir. Para cuando llegué a mi lugar, me dolían las mandíbulas y los ojos de tanto apretarlos para no llorar. Claro que en la tarde me enojé por un sí y por un no, y lloré hasta porque volaba la mosca.

—Qué susceptible estás —dijo mi mamá. Yo me ofendí porque no sabía qué quería decir susceptible.

Bueno, si conté todo esto es que hay una razón. Durante ese año, Peter tuvo que recurrir a la operación jerga casi todas las semanas, en alguna ocasión, dos veces por semana. Ahora entienden por qué las carcajadas cuando lo de Pipíter. Ese año, mi compañero de banca tuvo que ir a la covacha no sé cuántas veces, con el agravante de llevar el pantalón manchado de pipí. Ahora que soy más grande sé que a Peter le estaba pasando algo, algo así como un nudo en el corazón, algo para lo cual no encontraba palabras. Para los del salón ya se había hecho una costumbre. Algunos todavía se tapaban las narices, pero casi siempre alguien avisaba:

—Maestra, Peter se hizo pipí.

Y Peter se levantaba, con su gran mancha. Y mirando la punta de sus zapatos enfrentaba el largo camino. Cuando llegaba con la jerga, nosotros estábamos terminando el ejercicio o la página. Cuando acababa de limpiar, nosotros comenzábamos alguna otra actividad. Eso no ayudaba a que Peter estuviera al corriente en su trabajo. Creo que tampoco le importaba mucho.

A veces, sólo a veces, cuando dejaba su cuaderno abierto, yo le terminaba de escribir sus ejercicios para que no se viera tan vacío su cuaderno. Lo hacía sólo de vez en cuando, porque mis amigas me dijeron que lo hacía porque me gustaba Peter, el polvoriento, y a mí me daba vergüenza. Cuando se es niño, uno deja de hacer muchas cosas para que los demás no se burlen. No es tan fácil ser niño.

Capítulo 5

Dije que tenía once años. Pero tengo diez; esa es parte de la complicación. A veces invento cosas, pero yo sé muy bien la diferencia entre mentir y arreglar las cosas para que se parezcan más a lo que yo quiero. Eso no es mentir. Mi tía Alicia dice que mentir es un pecado, una falta gravísima. Yo le trato de explicar que aumentarse la edad no puede hacerle daño a nadie, pero mi tía Alicia es de las personas que no escucha mucho a los niños. Le dice a mi mamá:

—Bárbara, tienes que hacer algo para que esta niña deje de mentir.

—No miente, Licha, sólo inventa —responde mi mamá con tranquilidad.

Me dieron el cuaderno para que apuntara todo lo que pasó, lo que pasó de verdad y lo que pasó en mi cabeza. Mi tía Licha piensa que todo lo que conté de Zu, Peter y los demás es un invento mío. Ella no dijo *invento*: dijo **mentira**. Pero mi mamá sabe que Zu se quiso ir, que la tristeza se contagia y se cura, y que los amigos pueden enviar cartas sin usar papel y lápiz. Ella sabe; eso es lo que me importa. Mientras, voy a seguir diciendo que tengo once años, aunque acabe de cumplir diez. A ver si así me duelen menos los diez años.

Capítulo Siguiente

AHORA REGRESAMOS a lo que estaba contando antes del paréntesis que hice para contar lo del año anterior.

Hacía unos cuántos días que Zu no venía a trabajar. Nos pusieron a una maestra sustituta, la señora Frisk. Sustituta quiere decir de repuesto, le expliqué a Tere, que es un poco despistada. Ella pensó que si era de repuesto, a esas maestras las tendrían almacenadas en alguna parte.

—Habría que encontrar dónde las guardan, a ver si podemos escoger a otra —dijo Tere.

—Pero, ¿tú te crees eso de que las

tienen en algún armario, como los cuadernos nuevos o los lápices sin punta?

—No, claro que no, pero a lo mejor las tienen por ahí sentadas, en fila en una banca, y podríamos escoger otra.

La verdad es que a nadie le gustaba la señora Frisk. Tenía el pelo rojo y parado, las cejas gruesas y no sonreía. Y cuando decía "no", agregaba "no, punto, no". Su pelo recordaba extrañamente a un gato erizado. La bautizamos la Frrxcs, como imitando el sonido que hace un gato enojado.

La idea de que había maestras esperando para poder entrar a dar clases me pareció que tenía su lógica; había visto juegos de basket o de futbol donde había una serie de jugadores, con cara de desesperados, esperando poder entrar al partido. Así que los días que siguieron me la pasé echando miradas de refilón cada vez que se abría la puerta del salón de maestros. Pero nada: no iba ser fácil encontrar un repuesto a la maestra sustituta.

Zu había faltado una sola vez, cuando tuvo mucha tos, pero después vino, con su bufanda morada y sus ojeras a juego. En esos días en que andaba afónica nos enseñó un modo de comunicarnos con señas. Nos contó que su hermano era sordo y que ella se comunicaba así con él. Fueron días hermosos, de silencio y carcajadas.

Extrañábamos a Zu.

Parecía que el aire se hubiera nublado en el salón. La señora Frrxcs era dueña de las nubes. Nubarrones, quise decir. Tenía una voz horrible e inexpresiva. Muy parecida a su cara. Hacía los dictados más rápido y no repetía. Cuando alguien, tímidamente, preguntaba, ella contestaba con su voz plana y metálica:

—Hubieras puesto atención.

Creo que a Miguel se le ocurrió. Cada vez que se perdía en un dictado, en vez de preguntar o de detenerse angustiado, él seguía escribiendo "Hubieras puesto atención, hubieras puesto atención". Y como al hacer esto se perdía aún más, sus dictados se convertían más o menos en esto:

Dictado

Los animales se dividen en vertebrados e invertebrados. Hubieras puesto atención, columna vertebral y otros no. También existen otras hubieras puesto atención, mamíferos con pelo, cuatro patas, hubieras puesto atención, que pueden ser ovíparos. ....

Muy pronto, el salón adoptó el sistema de Miguel, para hacer como que seguíamos escribiendo, porque es bastante angustioso detenerse y ver que los demás siguen escribiendo a toda velocidad. Díganselo a Peter, que toma siempre las dos o tres primeras palabras y el resto del dictado muerde la punta del lápiz hasta romperla.

El gordo Basileo decidió probar, porque él escribe lento, y hacía ya varios dictados que la página de su cuaderno se quedaba en blanco. Así quedó su dictado:

Dictado
Los productos rejionales

En esta sona del Paiz se cultiva la uvieras puesto atensión, de donde extraen el asukar punto Uvieras puesto atención, uvieras puesto atención, uvieras puesto atención y otros minerales dos puntos oro y plata uvieras puesto atensión tambien otros productos agri-colas aparte Uvieras puesto atencsión, de todo tipo por lo que es un es tado muy rico punto final•

El gordo B., como le decíamos, tenía algunos problemillas con la ortografía. En cambio era una bala con las tablas de multiplicar, sobre todo con la del cinco, que como se la sabía perfecto la decía en voz ALTA, realmente **alta**. La maestra Zu le decía siempre que los de tercero C, que estaban dos salones más lejos, seguramente habían escuchado lo bien que se la sabía. Zu le estaba enseñando a hablar con voz bajita porque el gordo B. había nacido con el volumen alto.

El día que accidentalmente la maestra Frrxcs se dio cuenta de la técnica del "Hubieras puesto..." se armó la tormenta en el clima de por sí nublado del salón. Aprendimos que una tormenta puede no escucharse, pero sí sentirse. Nos dejó una tarea extra ENORME, pero cuando digo ENORME, quiero decir que estuvimos hasta las 10 de la noche haciéndola. El que no la llevara tenía que ir a la oficina del director. Y eso sí que no. El director era como el primo hermano del inspector: mismo carácter, mismos modos, mismo congelamiento de la sangre que nos producía. Ni hablar. Llegamos con ojeras y con un costal de enojo.

En esos días, cada vez que se abría la puerta del salón de maestros yo metía la nariz con la esperanza de poder cambiar a nuestra maestra sustituta, y con la de saber algo acerca de Zu.

Un día alcancé a escuchar algo inquietante:

—...¿en qué hospital?

—En el Francés... gravísima... menos mal que la encontraron, ¿quién hubiera dicho, verdad?

—Caras vemos, corazones no sabemos...

Y me cerraron la puerta en la nariz.

No mencionaron el nombre de Zu, pero yo estaba casi segura que se trataba de ella. Corrí a contárselo a mis amigas y entre todas tendimos nuestra red de investigación. Durante los días siguientes paramos la oreja, hicimos preguntas a cuanta persona se mostró accesible y obtuvimos lo siguiente:

- Que Zu estaba en el hospital (ya lo sabíamos).
- Que estaba fuera de peligro (¿ ?).

- Que no nos preocupáramos (este comentario es inútil).
- Que no iba a regresar en mucho tiempo (este comentario es escalofriante).
- Que algo raro y grave le había pasado, porque los adultos a quienes les preguntábamos se veían incómodos (este comentario es inquietante).

Seguimos construyendo nuestro rompecabezas, que no avanzaba demasiado. La señora Frrxcs parecía haberse enterado de que su trabajo iba a durar más tiempo y no se veía particularmente contenta al respecto. Fueron días de mucho esfuerzo ya que Frrxcs encaminaba su descontento a hacernos trabajar como burros. Yo trabajaba doble: me había propuesto ayudarle a Peter a completar lo más posible los ejercicios en los libros de trabajo. En el cuaderno no era posible, ya que la letra era muy distinta y ya dije que los dictados eran a velocidad máxima. Decidí hacerlo no sólo por ayudarlo, sino porque era también (sobre todo) una venganza buena contra Frrxcs. El cuaderno de Peter había aparecido con unas X y unos ? enormes, rojos y malos. Por lo menos, en los ejercicios de los libros Peter iba al corriente y tenía las respuestas bien. De eso me encargaba yo. Frrxcs fruncía cada vez más el ceño, tiñó su pelo rojo de negro y el efecto fue impactante. Se veía más mala, si es que eso era posible, o más bien una mala distinta.

Mi mamá empezó a preocuparse al verme salir siempre de mal humor. Me dijo que iba a colaborar con nosotros para obtener información acerca de Zu.

Capítulo Importante

AQUÍ VOY a apuntar algo que debería ir en el centro de mi cuaderno.

En esos días "nublados" los recreos seguían siendo un momento lindo. El ÚNICO momento lindo de las horas que pasábamos en la escuela.

Ahora jugábamos coleadas; super-divertido y superpeligroso. Sobre todo para las rodillas. Casi al final del recreo salí volando y mis rodillas fueron el tren de aterrizaje. Cojeando y sangrando, mis amigas me llevaron al baño para ayudarme a lavar las *heridas*. Nos encontramos con que las princesas tenían cerrado el baño, lo estaban ocupando y tenían apostada afuera a una centinela para que nadie entrara.

—¿Quién te crees? —le gritó Tere a la centinela—. Tenemos que entrar porque Pancha está sangrando.

—Pues que sangre. Nadie, ¿oíste?, nadie puede entrar al baño ahorita.

—Pero, ¿quién te crees? ¿A poco se creen dueñas de los baños? —dijo Lili en quien yo me apoyaba.

—Pues, sí, fíjate... —canturreó la centinela.

La campana ya había tocado hacía unos momentos. El que llegaba tarde de recreo tenía tarea extra y ése era un lujo que no nos podíamos dar.

—¿¿¿Ah, sí??? Pues entonces son dueñas de toda la caca de la escuela.

La frase fue de Tere, me hubiera gustado haberla dicho yo.

Y nos fuimos. Me dolían las rodillas, el orgullo y además tenía ganas de hacer pipí.

Después de un dictado a toda velocidad, levanté la mano y pedí permiso para ir al baño.

—No, hubieras ido en el recreo —dijo la señora Frrxcs.

—Por favor —insistí.

—No, punto, no —terminó la conversación la terrible señora.

Llegó la una de la tarde, lo sabía por los pelos de Miguel. Yo ya no aguantaba más. Hasta que se me ocurrió sacarme un poco de sangre de mi herida de la rodilla y, entonces, me levanté y mostrando el hilito de sangre, finalmente la durísima Frrxcs me dejó salir y pude llegar al baño de milagro.

Al día siguiente, seguí jugando coleadas como si no tuviera una costra en mis rodillas. Y casi al final del recreo, como siempre, mis amigas y yo nos dirigimos al baño.

Ahí estaban apostadas dos centinelas cerrando el acceso al baño.

—No pueden pasar.

—¿Por qué no?

—Porque lo estamos usando nosotras.

—Pero si hay muchos excusados y muchos lavabos.

—No importa. Mientras estemos nosotras, nadie más puede entrar.

—¿Quieres ver que sí? —dije, sorprendida de mi propia osadía.

Me adelanté y empujé la puerta. Lo que siguió duró sólo unos segundos. Tere y yo nos asomamos al baño, vimos a las princesas con la boca roja roja de bilé, con sombra azul en los ojos, tratando de despintarse con enormes cantidades de papel de baño.

Eso fue lo que alcanzamos a ver antes de que las centinelas agarraran a Tere de una trenza y a mí de la falda del uniforme y nos sacaran de ahí como si fuéramos bultos.

—Esto lo van a pagar caro —dijo una.

—Si dicen algo, se van a arrepentir —dijo la otra centinela con cara de jirafa.

Nos fuimos al salón, apuradas porque ya debían estar sentándose todos, furiosas, tratando de pensar un plan y con ganas de hacer pipí.

La clase siguió. Por supuesto, tomamos dictado. Y a la mitad de la lección de geografía, levanté la mano.

—¿Me permite salir, maestra, por favor? —tuve cuidado en la manera en que pedía el permiso.

—No.

—Por favor, necesito...

—No, punto. Nadie sale de mi clase, y muchísimo menos a la mitad de una lección.

Cuando terminamos de hacer el mapa y de colorearlo y de tomar otro dictado, volví a levantar la mano.

—¿Me permite salir, ahora, maestra, por favor?

La señora Frrxcs frunció aún más el ceño, y mirándome dijo:

—Mira, niña —la Frrxcs no se sabía nuestros nombres todavía—, no me engañas. Ayer tuviste que salir, pero nadie me toma el pelo ni mete desorden en mi clase. Así que no vuelvas a levantar la mano.

No la levanté. Me quedé ahí sentada, con los brazos cruzados, apretando los dientes para que no se me salieran las lágrimas del coraje. No tomé mi lápiz, no apunté la tarea, no hice el ejercicio de gramática. Como a la una y media (los pelos de Miguel son muy precisos) no aguanté más.

Me

hice

pipí.

Ahí sentada en mi banca, sentí cómo iba escurriéndose por debajo de mi falda, cómo llegaba a mis calcetines, a mis zapatos, al piso. Ya estaría formando un charquito. Yo sentía que mis cachetes me quemaban, que los dientes se me iban a romper de tanto apretarlos, que tenía ganas de gritar, ganas de desaparecer, ganas de llorar, de ver a mi mamá, de desaparecer, desaparecer, desaparecer...

El charquito se formó misteriosamente detrás de mi banca, así que no quedaba muy claro quién había sido.

—Maestra, alguien se hizo pipí —dijo una voz detrás de mí.

Frrxcs fruncióse toda.

Un incendio crecía en mi interior.

—¿Quién fue? —preguntó Frrxcs con voz cavernosa.

Silencio.

El charquito estaba justo detrás de mi banca y bastante cerca de mi mochila.

—¿QUIÉN FUE? —la voz se había vuelto además de cavernosa, amenazante.

Mis piernas no respondían, las tenía enrolladas en las patas de la silla, era tan fuerte mi deseo de desaparecer que, por un instante, pensé que no estaba ahí sino en otra parte, jugando con una muñeca de cuando era muy chiquita...

Los pasos y la voz se acercaron por detrás de mí y se llevaron mi muñequita, y me trajeron el tiempo real de vuelta. Mi cabeza debe de haber pensado que me levantaba y decía: "Fui yo", pero mi cuerpo no respondió.

Ya alguien decía:

—Qué asco, se me va a mojar mi mochila.

—Fue Peter —dijo otra voz lejana.

Peter se levantó.

Frrxcs le clavó la mirada. Pero Peter ya se encaminaba hacia la puerta, hacia la covacha, hacia el tormento de la jerga.

El incendio no me dejaba pensar claramente, empecé a recordar otros juguetes que tenía desde bebé, un perro de peluche, unos cubos...

Peter regresó, limpió y se fue. Cuando volvió a ocupar su lugar, nos miramos un instante. Sus ojos quisieron decir algo. Los míos deberían haber dicho algo, pero era tan grande mi malestar, mi vergüenza, que no dijeron nada porque bajé la mirada.

Llegó la hora de salida. Me levanté, mi falda casi no se había mojado, me amarré el suéter a la cintura, y me dirigí a la salida con los pies mojados, con los ojos fijos, con la única idea de encontrar a mi mamá y salvarme de toda aquella historia...

—¡Voy a la escuela y le digo a esa estúpida tres cosas! —vociferaba mi papá—. ¡Cómo pudo haberle hecho eso a mi Pancha! Voy a armarle un escándalo...

Yo temblaba.

—No —decía mi mamá—. Tranquilízate, yo iré y hablaré con ella. Es inhumano que no dejen ir a un niño al baño.

Yo no había contado lo que hizo Peter.

Así que tenía una doble mortificación: lo que ocurrió y lo que no dije que hicieron por mí. Eso fue lo que me tuvo llorando hasta muy avanzada la noche y me mantenía inconsolable. Como a las tres de la mañana, mi papá se levantó, se acercó a la cama y mi llanto redobló.

—No quiero ir a la escuela, pa...

—¿Por qué, hija? No es tan grave, quien más, quien menos, casi todo mundo ha tenido un asunto de estos...

—Ya no quiero ir nunca, papá...

—Sí vas a ir.

—No, noo, nooo....

—Sí, tranquila, vamos a ir a hablar con la maestra para que esto no vuelva a ocurrir.

—Es que si van, y le dicen a la maestra, sniff, buhh, va a decir que no fui yo.

—¿¿Cómo?? ¿Cómo que no fuiste tú? Te hiciste pipí, ¿sí o no?

—Si, ¡¡¡buahh!!!

—Entonces ¿por qué va a decir que no fuiste tú?

Y le conté lo que ustedes ya saben. Le conté cómo Peter me salvó, sacrificándose.

Mi papá oyó, no se enojó, me abrazó y dijo:

—Lo que hizo ese Peter por ti es muy valiente. Nada de esto hubiera ocurrido si la maestra te hubiese permitido salir.

Pero, Pancha, ¿no sería bueno que fueras al baño durante el recreo?

—Es que hay unas en la escuela que se creen dueñas del patio, de los baños...

Y entonces, a esas horas de la madrugada, le conté a mi papá lo de las princesas brujas, lo del balón, lo de las centinelas que no dejan entrar, y me atribuí la frase de Tere, aquella frase que me pareció buenísima... y a mi papá también porque las carcajadas despertaron a mi mamá.

Volví a contar toda la historia para mi mamá y he de decir que me sentí mucho más aliviada.

—Tendrías que agradecerle a Peter.

Eso me anudó un poco la garganta. Me costaba trabajo imaginarme diciéndole "Gracias Peter, por haber hecho lo que hiciste", no me imaginaba diciéndole "Gracias, Peter", ni siquiera "gracias" a secas. No sé por qué a esta edad es difícil a veces dar las gracias de corazón. Quizás porque nos han entrenado para dar las gracias tantas veces a

personas a quienes realmente no tenemos ganas de agradecer, que nos queda
como una incomodidad.

Me dormí como a las cuatro de la
mañana, con los ojos hinchados y el
corazón aliviado: por fin había podido
contar las cosas tal y como pasaron.

Otro Capítulo

LOS DÍAS siguientes me sentí muy incómoda al ver que Peter bajaba más de lo habitual la mirada, cada vez que me acercaba. Yo también la desviaba, así que entre los dos hacíamos extraños circuitos de ojos. Me llegué a sentir tan mal que hasta cultivé cierto enojo con Peter. ¿Para qué había hecho ese acto heroico? Ahora me sentía como obligada a algo, a darle las gracias o algo.

Me empecé a portar como más presumida de lo que soy, como si no me importara lo que pasó; peor aún, como si no hubiera pasado. No le ayudaba más a Peter con sus trabajos y mi corazón se sentía enfermo. Un día, casi sin querer, miré por arriba de su hombro y vi el dibujo de una flor llorando.

Eso tuvo su impacto en mí. Algo me pasó por dentro, y si estoy contando todo esto es porque no sé explicarlo bien. Cuando sea grande, espero poder explicar con menos palabras lo que me pasa por dentro.

Mi mamá había ido a hablar con el director. El resultado de esa entrevista fue que Frrxcs me miraba con ojos de punta afilada, pero todos los niños que pedían permiso para ir al baño lo obtenían. El otro dato que trajo mi mamá es que parecía que Zu iba a tardar en regresar. Mi mamá comentó que la actitud del director había sido un tanto extraña y misteriosa en todo lo que se relacionaba con el tema de la maestra Zu. Mi mamá manifestó su intriga también; le dije lo que sabíamos a través de la red de información: que se encontraba en el hospital Francés.

—Llévame, mamá —me sorprendí al oírme.

Creo que mi mamá también.

—Lo pensaré, hija, no te prometo, pero lo voy a pensar.

Esto ocurrió el mismo día que vi la flor llorando en el cuaderno de Peter. Se me metió entre ceja y ceja que quería ir a ver a Zu. Quería que nos salvara de la terrible Frrxcs y quería verla.

Capítulo que sigue después del anterior

ME PUSE mi falda escocesa. Es de tablitas, a mi mamá le encanta; yo me la pongo para darle gusto, porque como es de lana, pica y me da una comezón terrible. Pues no protesté y me la puse. Calladita. Mi mamá se arregló, cortó una rosa del único rosal que crece en una maceta. Me fui a la cocina, envolví el tallo de la rosa en una servilleta mojada, y luego en papel de plata, y me sentí contenta, triste, orgullosa y revuelta. Tan revuelta que cuando llegó mi mamá a decirme que nos fuéramos, me entró un nudo y ya no quería ir. Pero no dije nada por supuesto.

Subcapítulo en tiempo presente pero pasado

EL HOSPITAL Francés es muy grande y los edificios están dispersos en un jardín. El pasto está seco y descuidado, lo cual no es bueno para el nudo que traigo en la garganta. Hay unas grandes palmeras polvorientas, muriéndose de sed. Camino detrás de mi mamá, rascándome las piernas, la lana me pica, pica, pica... Cuando llegamos al pabellón donde estaba Zu, mi mamá giró y me dio la rosa.

—Espérame, hija, voy a ver si es aquí. No te muevas, yo vengo por ti.

Me quedo quietecita y me hago el propósito de no rascarme hasta que regrese mi mamá; pido que por favor venga una enfermera y nos diga que Zu no está ahí, que hace tiempo que se fue a su casa y que a lo mejor hasta se fue de vacaciones a alguna parte. Pasan los minutos, hace calor y picazón. Mi mamá no llega. Como tarde un poco más, la rosa se va a marchitar y le va a hacer daño a Zu ver una flor triste.

Me examino la punta de los zapatos, se ven empolvados y tienen unas manchitas de una vez que pinté un atardecer en el mar que me quedó espantoso. Me doy cuenta, de golpe, que si miro la punta de mis zapatos no veo el pasto seco ni las palmeras moribundas. Eso es lo que hace Peter. Quizás, para él, el mundo sea un jardín seco.

Cuando llega mi mamá, tengo los ojos de vidrio. Soy un desastre, siempre se me nota. Pero mamá no me dice nada, sólo me toma de los hombros y me encamina por un pasillo largo. Los mosaicos son de colorcitos, mucho más lindos que el jardín, dan ganas de ponerse a recorrerlo saltando por los cuadritos rojos, pisando sólo los amarillos, de puntitas por las líneas negras.

Nos detenemos frente a una puerta.

Adentro hay varias camas vacías, y en la última, cerca de la ventana, está Zu.

Me acerco.

—Te trajimos una flor —digo, y mi voz parece la de otra persona.

Zu toma la rosa, la mira, y veo su perfil que le conozco tanto, su palidez que también le conozco, y sus ojos, con una tristeza tan grande que no la reconozco.

—Ponla en mi vaso de agua, Pancha, debe de tener mucha sed —dice la voz de Zu, que tampoco reconozco muy bien—. Gracias, Pancha.

Silencio.

Mi mamá dice que va a ir a buscar más agua, para que no le falte ni a Zu ni a la rosa.

Me quedo sola con Zu.

Quiero preguntarle qué le pasó.

No me sale la voz, nada más la miro.

Quiero decirle que nos urge que regrese, porque la Frrxcs nos quiere matar a punta de dictados. Quiero decirle que se salga de este hospital o se va a resecar todita, que venga, que salga, que se levante de esa cama, por favor.

No digo nada. Pero parece que Zu hubiese entendido.

—Pancha, voy a salir de aquí, estoy tomando fuerzas, porque me aplastó una tristeza tan grande que quise dormir mucho tiempo para curarme.

—¿Por qué? —pregunto muda.

Zu me mira.

—Hay tristezas que son más grandes que uno. Hay que cuidarse de ésas, Pancha.

—Sí, Zu —digo con una voz que sí es mía.

Regresa mi mamá con una gran jarra de agua y unos vasos de plástico. Le sirve un vaso a Zu, que se incorpora y se lo bebe enterito. Me sirve uno a mí. Volteo a ver unas macetas secas que están en una pequeña terraza. Mi mamá y Zu hacen un gesto con la cabeza y vierto mi vaso en una maceta. Mi mamá acerca la jarra y me la da.

—Las demás también, Panchi —dice

la voz de mi mamá de cuando me está queriendo mucho.

Le pongo agua a todas las macetas. Entra una enfermera. Escondo la jarra detrás de mi espalda. Ella no dice nada, sólo mira. Zu, mamá y yo nos sonreímos cuando sale la cuidadora. Parece que cuidan más el agua que a los enfermos.

—Pancha, espérame aquí, voy a traer otra jarra para dejársela a la maestra Zu.

Me acerco a la cama, Zu me da la mano y nos miramos. Allá en el hondo fondo de sus ojos aparece algo así como una sonrisa. Una sonrisa triste.

—¿Cómo está Peter? —pregunta Zu.

—Mirándose los zapatos más que nunca —contesto—. Ya no escribe casi nada, ni hace nada de lo que la maestra dice.

—Peter... —suspira Zu—. Ese Peter debe tener una pena grande...

—... asiento con la cabeza. Los ojos se me llenan de agua.

Mamá regresa con la jarra llena.

—Le dejamos agua, Azucena, trate de

beber. Vendremos otro día. Despídete, Pancha.

—Adiós —dice Zu sin soltar mi mano—. Me encantó que vinieras.

Dirigiéndose a mi mamá:

—¿Puede venir otro día? Por favor...

Había un largo camino en su por favor, un poco como la palmera pidiendo agua...

—Gracias por la flor, Pancha.

Nos fuimos. En silencio. Por el pasillo. Y al salir al jardín desértico, esto ya no sé si pasó o me lo inventé, como dice mi tía Licha, porque a veces uno ya no sabe, pero cuando salimos se desprendió una rama seca de la palmera, con gran estruendo, y cayó frente a nosotras dejando una nube de polvo frente a nuestros ojos. Nada más por quitarme de encima los comentarios de mi tía, les contaré en letra más chiquita, por aquello de que a lo mejor no es verdad, que mi mamá y yo levantamos los pies para saltar por encima de la rama, que nos dimos la mano entre la polvareda y que no nos las soltamos hasta llegar a casa.

Capítulo tal

—VOY A ir a ver a Zu el jueves —le susurré a Peter muy quedito.

Me pareció que se enderezó, como los perros cuando paran las orejas y ponen mucha atención. No hizo nada, pero se quedó derechito y quieto.

—Voy a ir a ver a Zu el jueves —les dije a mis amigas en el recreo.

—¿Dónde?

—¿Quién te llevó?

—¿Cuándo fuiste?

—¿Qué le pasó?

—¿Te dijo algo?

—¿Cómo se ve?

—¿Va a regresar?

—¿Puedo ir contigo?

Organicé lo mejor que pude el bombardeo de preguntas. Respondí a lo que pude, me hubiese gustado que me acompañara Tere, habría que hablar con las mamás.

Conté los ojos tristes de Zu, su palidez, la enfermera vigilante de las jarras de agua, la rama de la palmera seca.

Sí, pero ¿qué le pasó?

Traté de explicar lo que yo sabía.

—Le dio una tristeza grande y se quiso dormir...

—¿Morir?

—No, dormir mucho tiempo para curarse.

—¿Y se lo creíste, Pancha?

—¿Por qué no? A mí me dijo que quiso dormir para aliviarse y poder regresar.

—A mí me parece que la dejó el marido.

—No sabemos si tiene marido.

—Tiene que tener, es una mujer, ¿no? O sea tiene más de 20 años.

—¿Y qué tiene que ver? Puede ser mujer y tener 27 o 35 y no tener marido —dije con un nudo en la voz.

—O la dejó el novio, da igual.

—¿Por qué da igual? No da igual para nada. Además no sabemos nada.

—Sabemos que no tiene hijos. Sabemos que su hermano es sordo.

—Sí, sí, pero no sabemos qué le pasó y Pancha no explica bien —dijo Tere, desesperada.

Cerré el pico. Y cuando yo digo así, es que se me cierra de verdad. Por lo menos por un día. Hasta que se me pase, o entienda qué es lo que está pasando.

Me fui a mi casa, escuchando la voz de Lili "¿Y tú le creíste, Pancha?" y la voz de Paulina "No da igual, no da igual tener novio, o marido, o no tener nada". Paulina llevaba un tiempo juntándose en el recreo a jugar con nosotras. Antes se sentaba en una banca con un cuaderno haciendo como que repasaba. Desde que se acerca con nosotros hemos visto que se le pone la voz más aguda cuando habla de los hijos que va a tener, o a qué edad se va a casar. Tere le puso de apodo Susanita, como la de Mafalda. Pero Paulina ni se ofende porque no la conoce.

¿Por qué no creerle a Zu?

—Mamá, ¿qué le pasó a Zu? ¿Por qué está en ese hospital?

Cruzan miradas mamá con papá, que baja rápidamente el periódico. Miradas cruzadas, señal inequívoca. Quiere decir que la respuesta verdadera "no es para niños".

Me estoy cansando un poco de ser "niña" así que en un descuido voy a decir que tengo 12 años o un poquito más, a ver si así entiendo mejor qué pasa.

—Pancha... La maestra Zu se va a recuperar y va a regresar.

—Recuperar ¿de qué?

—De... una debilidad muy grande...

—A mí me dijo que de una tristeza muy grande, más grande que ella...

—¿Eso te dijo? —preguntó papá con un tono que no me gustó, pero no supe por qué.

—Pero ¿uno se puede morir de una tristeza? —solté finalmente la pregunta que me quemaba la lengua.

—...Bueno... a veces... no... —trasta-billó mamá.

—¡Pero qué ocurrencia! —soltó papá como si yo hubiera dicho una grosería.

Cruzaron miradas de nuevo.

Definitivamente, aquí en mi cuaderno, quiero cumplir más años, más, entre más años se tienen más cosas se saben, dijo mi abuela que debía saber un montonal... Y yo quiero saber.

El jueves por la mañana, Peter, llorando, arrancó de su cuaderno la flor que yo había visto. Con su pedazo de goma medio sucia, le borró las gotas que caían. Escribió PARA ZU con su letra grande, casi más grande que la flor, y me la dio. Yo la doblé y la metí en el bolsillo del delantal.

Temía que mi papá opinara que no debíamos ir a ver a Zu, pero esperaba que mi mamá, que casi siempre cumplía su palabra, me llevara a pesar de todas las miradas cruzadas del mundo.

Tere examinó la flor de Peter en el recreo.

—Es una buena idea —dictaminó—. Podemos hacerle unas nosotras también.

Y, apoyadas en un libro de Mafalda que yo había llevado, en unos pedacitos de papel que alguien encontró, de rodillas en el patio, nos pusimos todas a pintar flores. El gordo B., balón en pie, se acercó a nosotras, curioso y metiche, a ver qué hacíamos. Se regresó pateando el balón donde estaban Miguel y los demás.

En la fila, Miguel me preguntó.

—¿Las flores son para Zu?

—Sí.

Durante la clase de geografía me fueron llegando pedazos de papel con flores, con recados, con el nombre de cada niño.

Yo los metía debajo del pupitre, asustada cada vez que volteaba Frrxcs. Peter recogió un par de papelitos que se cayeron y se agachó a revisar que no hubiese quedado ninguno cuando tocó la campana de la salida.

—Pero, mira, mamá, mira... —moqueé desconsolada—. Mira las flores que le hicimos, mamá, yo se las quiero llevar...

Mi mamá acababa de proponer ir ella sola a visitar a Zu.

A mí no me cabía el desconsuelo en el cuerpo.

—Yo quiero ir mamá, quiero...

Mamá meneaba sin mucho convencimiento la cabeza.

Calculé que no tenía que llorar mucho más para convencerla.

—¿Por qué no quieres que vaya? Ya vimos a Zu, ya la vimos triste, ya vimos el jardín seco, la enfermera, todo. ¿Qué puede ser tan terrible?

—Alístate.

El jardín estaba igual de seco. Las palmeras parecían decir, aquí, aquí, agua, agua, pero la voz era demasiado débil, allá en lo alto.

La enfermera nos siguió por el pasillo y se mantuvo en la puerta. Parece que el crimen de la jarra de agua había sido descubierto.

Extendí las flores sobre la sábana de la cama de Zu. Se le llenaron los ojos de lágrimas y se rebalsaron. Eso del rebalsamiento lo aprendí porque es el punto en que se empieza a tirar un líquido y va a ser difícil detenerlo. Y fue difícil. Zu tomaba los papelitos y los miraba, leía el nombre de quien lo había hecho y lo volvía a acomodar en el mosaico que se había formado sobre sus piernas, mientras el rebalsamiento proseguía. Zu lloraba sin ruido. Pero con mucha, mucha agua.

Mamá, afligida o tal vez contrariada,

dijo que iba a ir por papel para sonarse, después de haber buscado en su bolsa.

Era mi oportunidad para preguntarle a Zu por qué era tan terrible que estuviera en ese hospital, por qué mis papás cruzaban miradas, por qué Tere me había llamado ilusa, por qué mi mamá parecía molesta.

—Zu...

Zu parecía estar totalmente concentrada en las flores y en el rebalsamiento. Demasiada agua para unas flores dibujadas en papel.

—Zu... ¿por qué?

Pareció despertar. Me miró y sus ojos se veían distintos. Llenos de agua pero distintos.

—No te asustes, Pancha, los corazones se reparan.

En ese momento llegó mi mamá. Con metros de papel de baño y dos enfermeras detrás de ella.

—No puede sacar el papel higiénico de los baños, señora.

—Entonces, tráigame por favor unos pañuelos desechables.

—No hay.

—O de tela, señorita, o un pedazo de sábana. O ¿con qué quiere que se suene la nariz la maestra?

Silencio.

—¿Es maestra? —preguntó la enfermera menos brava.

—Pues claro —mi mamá estaba irreconocible—. ¿Qué creía?

Las enfermeras callaron. Victoria. Me daban ganas de abrazar a mi mamá.

—Y si me pueden hacer el favor, traigan una jarra de agua porque la maestra tiene sed.

Revictoria.

—No se pueden utilizar objetos de vidrio en esta habitación. Le vamos a traer un vaso de plástico... a ella... —dijo la enfermera más desagradable, señalando a Zu.

Ahí sí me asusté, me asusté de no entender y me asusté de entender.

O sea que Zu podía ser peligrosa, podía romper la jarra y usar un pedazo para amenazar a alguien. No. De pronto, me pareció tan ridícula la posibilidad que creo que hasta me sonreí. Pero mi mente siguió girando a mil. O entonces, es que no le permitían vidrio para que no se lastimara. Y **¡zaz!**, las cosas empezaron a acomodarse: la frase de Tere, dormir para curarse, dormir para siempre, morirse de tristeza, las miradas extrañas, las incomodidades de los adultos, o sea, que la gente sí se puede morir de tristeza.

—Zu, no te puedes morir —arrancó mi voz un pedazo de mi garganta.

Mi mamá me abrazó y en un rayo vi su mirada de reproche hacia Zu.

Zu se incorporó hasta quedar sentada en la cama.

—Pancha, me acabo de dar cuenta de que los corazones se reparan. No lo sabía antes. Fui tan... ciega, que no me di cuenta de que los pedazos se quedaban conmigo, y que se pueden componer y que hay palabras que curan, y que he vuelto a soñar jardines, y que hay flores —continuó mostrando el montón de papelitos dibujados— y que hay flores más hermosas que ninguna.

Ahora el rebalsamiento estaba del lado de mi mamá. Yo sentí que respiraba después de haber estado mucho tiempo conteniendo el aliento.

Zu tenía los ojos secos y, aunque estaba en cama, parecía estar de pie.

—Además, Pancha, el otro día que te vi ponerle agua a las macetas, me sentí bien y me quedé pensando que mi corazón también ha de querer algo de beber. Toma, límpiate —continuó, alcanzándome un pedazo de papel de baño. Hicimos mucho ruido, mi mamá y yo, sonándonos las narices. Pero uno no puede llorar y ser elegante.

—Le traje té, Azucena —cortó mi mamá, con la nariz roja—. Pensé que le gustaría.

—Sí, me gusta.

Mi mamá sacó un termo de su bolsa, y unos vasitos plásticos. Hasta a mí me dieron té y eso que "no es para niños".

La enfermera vino a dar su ronda de espía, trajo un vaso maltrecho pero con agua. Miró el termo con ojos de especialista y se fue.

—Quiero agradecerles, Pancha y Bárbara, que hayan venido a verme. Su visita fue como lo que acabó de despertarme. Me siento mucho pero mucho mejor después del martes pasado. Quiero salir de aquí, quiero irme a mi casa, quiero ir a regar mis macetas que deben de tener sed, quiero darle de beber a mi corazón hasta curarlo. Y a ti Pancha, quiero decirte que eres valiente. Y generosa. ¿Acaso crees que no sé que eres tú la que completa los libros de Peter?

Mi mamá tomó mi cara entre sus manos hasta mirarnos "lo de adentro", como decimos cada vez que nos vemos a los ojos de muy cerca.

—El té está buenísimo —dijo Zu—. ¿Hay más?

Capítulo que sigue

EN LA escuela era la única que estaba contenta. No tenía certeza de cuándo iba a regresar Zu pero sabía que iba a volver. Eso hacía que yo pudiera tolerar mejor el dictado, las palabras repetidas 50 veces, que fue la técnica que empleó Frrxcs para vengarse de la técnica del "Hubieras puesto atención."

Pasaron unos días más. Sucedieron dos cosas muy muy importantes. Una buena y tremenda. La otra, la termino de explicar después.

La buena:

No sé cómo, los de quinto, que tenían una cuenta pendiente con las brujas, se enteraron de lo que hacían en el baño.

Fueron a acusarlas con la prefecta. Me contaron que cuando ella abrió la puerta del baño, se encontró al equipo princesa todas pintarrajeadas, y que el espejo del baño se encontraba lleno de corazones de bilé con los nombres de los que les gustaban.

Las puertas de los excusados tenían miles de iniciales, rayadas en la pintura, con recaditos que no supimos qué era lo que decían. No supimos porque las princesas tuvieron que venir junto con sus papás a pintar los baños durante el fin de semana. Después de eso las expulsaron tres días. La sanción fue más por cerrar los baños que por todo lo demás.

Alguien me dijo que los de quinto habían recibido un papelito con una letra como de niño chiquito, escrita con un lápiz casi sin punta. Decía:

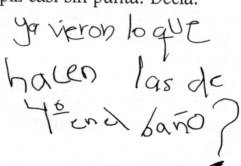

ya vieron lo que hacen las de 4º en el baño?

Hubiera querido preguntarle a Peter, pero no se pudo.

Peter había estado resfriado. Le escurría la nariz hacía unos cuantos días, y como era su costumbre, llevaba un montón de papel de baño hecho bolas en el bolsillo del pantalón. No faltó quien se burlara también de la elegancia de sus pañuelos. Así como antes se burlaron de su bolsita de plástico y su plátano. Faltó un día, dos, y después perdí la cuenta. El clima del salón era cada vez peor. Los dictados larguísimos, el ceño de Frrxcs cada vez más fruncido, su voz como de aluminio rayado.

Un buen día Peter volvió a la escuela después de su larga enfermedad. Me puse contenta. Más contenta de lo que me imaginé. Hasta me sentí más acompañada en mi pupitre, menos sola frente a las largas horas de enojo sordo contra Frrxcs. Hubiera querido decirle "Qué bueno que regresaste", pero no me atreví. Hubiera podido preguntarle "¿Por qué faltaste tanto?" y no lo hice. Yo sabía que Peter casi nunca hablaba.

Pero quizás me hubiese contestado. No le dije nada. Ni siquiera pensé en darle las gracias por aquella famosa ocasión que ustedes saben.

Yo no sabía que ésa era la última vez que lo vería.

Pocos días después, al cuarto para las dos (los pelos de Miguel son enormemente precisos) la señora Frrxcs nos anunció que ése era el último día que ella vendría.

Se hizo un silencio grande. Trató de decir algo así como que le había dado gusto trabajar con nosotros, pero no le salió. Finalmente anunció lo que estábamos esperando: la maestra Azucena regresaría mañana. Yo sé que nadie abrió la boca, o eso creo, pero hubo una cantidad de ruido, de alegría, de sonrisas, de suspiros. El gordo B. estiró sus brazos hacia arriba y después se recostó, con un resoplido, sobre su banca. Como si hubiera ganado una carrera. A Tere se le cayó el estuche completo de lápices y se levantó arrastrando la silla para recogerlos. Lili y Miguel se dieron de codazos.

Sonó la campana y salimos del salón diciéndole adiós a la señora Frrxcs, que se paró al lado de la puerta.

—Adiós, maestra —fuimos diciendo por turnos.

Frrxcs se había aprendido muy poquitos nombres. Así que se despidió de algunos.

—Adiós, Paulina, espero que conserves tu letra tan bonita.

—Adiós, Basileo, espero que mejores tu ortografía.

—Adiós, Miguel, espero que seas menos latoso.

A mí me dijo: Adiós.

Quise preguntarle si sabía algo de Peter. Alguna vez me pidió los libros que había bajo su banca, y yo imaginé que era para mandarle tarea a casa. No me atreví. Quizás por eso estoy escribiendo en este cuaderno durante tantas horas: por todas las cosas que no dije y que no pregunté.

—Adiós —dije simplemente.

Capítulo que se va acercando al final, pero todavía no

AL DÍA siguiente, me levanté para ir a la escuela como si fuera a una fiesta. Tempranito y arregladita. Apuré a mi papá a que se tomara el café. Se atragantó y después miró el reloj.

—Pero, si estamos a tiempo —exclamó limpiándose con la servilleta.

Yo quería llegar temprano.

Nos formamos en la fila y no teníamos maestra al frente. Nos desconcertamos. Paulina, que era la primera de la fila, volteó a vernos con una interrogación en la mirada. Alguien le hizo un gesto diciéndole que avanzara. Llegamos al salón sin saber si vendría Zu. Nos sentamos en nuestras bancas.

—¿Vendrá?

—Tal vez Frrxcs nos mintió.

—Tal vez regresó y ya no le dieron el trabajo.

—A lo mejor llega tarde, porque ya no sabe levantarse temprano.

—Quizás se volvió a enfermar.

Se hizo un silencio grande. No podíamos pensar en esa posibilidad.

Escuchamos unos pasos en el pasillo. Se detuvieron. Y después se acercaron cada vez más.

Se abrió la puerta.

—¡¡¡Zu!!!

Algunos se levantaron a abrazarla. Zu reía y hacía un gesto para pedir silencio, asustada de que se escuchara el ruido en los demás salones.

Tardamos bastante en tranquilizarnos.

Zu nos pidió que moviéramos las bancas hacia los costados, sin hacer ruido, y que nos sentáramos en círculo en el piso.

Jamás habíamos hecho eso. Ella le puso seguro a la puerta y se sentó en el piso junto con nosotros.

Zu escuchó lo que quisimos contarle. Muchas fueron quejas de los nubarrones que sufrimos, muchas fueron palabras de alegría de que volviera, y después Zu se puso a contarnos lo que a ella le gustaba jugar cuando era chica. Sonó la campana para el recreo y no quisimos levantarnos. No tan aprisa como siempre.

—¿Y Peter? Veo que ha faltado mucho —comentó Zu revisando la lista de asistencia.

No supimos decirle nada.

—Ya averiguaré en la dirección —dijo Zu.

Ese día, a las dos de la tarde, me puse a revisar debajo de mi pupitre, buscando un lápiz nuevo de color rosa fosforescente. Me lo habían regalado y no lo podía encontrar. Pensé mal de una compañera que solía ser un poco envidiosa. Para no culparla me dispuse a vaciar mis libros y cuadernos, pensando que tal vez por ahí se encontraría mi lápiz.

No apareció. Lo que me encontré me dejó congelada. Debajo del último libro estaba un pedazo de madera, plano, como una rebanada de tronco de árbol.

Toda la tarde pasé mirando el mensaje. ¿Cuándo habría puesto Peter esa maderita ahí? ¿Tal vez el último día que vino, o antes? Peter y Pancha, decía el grabado en la madera. No podían ser más que nuestras iniciales.

No lloré. Leí más veces de las necesarias las palabras "Me voy", y no sabía dar respuesta ni a media pregunta que me hacía.

Al día siguiente me fui con grandes ojeras a la escuela.

Después de pintar una flor en la esquina del pizarrón, Zu nos miró y dijo:

—Peter no estará más con nosotros. Me siento triste porque no estuve para ayudarlo.

Avalancha de preguntas. Menos mal: quiero saber pero tengo un enorme nudo en la garganta y un gran dolor de cabeza.

—Parece que en la dirección se dieron cuenta de que Peter no trabajaba mucho, y después faltó demasiado y decidieron que era mejor que repitiera el año. Su familia regresa a Inglaterra dentro de poco. Así que decidieron sacarlo de la escuela.

El dolor de cabeza se volvió como una estrella blanca en mi cabeza. Tanta luz que no me dejaba ver, picos y picos que crecían sin parar...

Me desperté en la enfermería. Zu me dijo que le habían hablado a mi mamá. Me había traído mi suéter y mi mochila para que pudiera irme a casa. Me levanté con todo y la luz y los picos que ya no eran tan grandes, abrí mi mochila y le mostré la "carta" de Peter. Zu no dijo nada. Me abrazó y me puso una mano sobre la frente.

Capitulito que se llama Epílogo

HA PASADO un tiempo, quisiera que hubiese pasado más. Creo que he puesto en mi cuaderno todo lo que quería poner. No estoy segura de entender todo, todito lo que pasó pero me siento un poco mejor. Aunque mi tía Licha haga comentarios desagradables, esto que les cuento es tan verdad para mí como la maderita que tengo entre mis manos.

Zu pintó flores el resto del año. Sólo que ahora les hacía una especie de marco. Tenía la forma de la madera que me dejó Peter. Zu me dijo que esa sería la forma de recordarlo.

Mucho, mucho tiempo después

HACE MUCHO tiempo que sonó la campana del último día de clases con la maestra Zu. Sé muy bien que alguna vez dije que tenía once años teniendo diez y queriendo tener doce. Ahora tengo tantos años que me alcanzaría para escribir unas cinco veces tengo once años. En la última hoja de este cuaderno quiero decir que la maderita la tengo siempre sobre mi escritorio y cuando viajo, cosa que ocurre de vez en cuando, abro muy bien los ojos, y miro a las personas porque a Peter lo podría reconocer aunque hubiesen pasado cien años, o la mitad. No pienso perder la oportunidad de darle las gracias. Esta vez sí.

109

Índice

Se terminó de imprimir en septiembre de 2002,
en Exima, S.A. de C.V.,
Tlaxcala 17, Col. Barrio de San Francisco,
10500, México. D.F.